찰리, 흰 눈을 지켜라!

SEOUL, 2010

찰리, 흰 눈을 지켜라!

초판 제1쇄 발행일 2010년 1월 15일
초판 제36쇄 발행일 2022년 3월 20일
글 힐러리 매케이 그림 샘 헌 옮김 지혜연
발행인 박헌용, 윤호권 발행처 (주)시공사
주소 서울시 성동구 상원1길 22, 6-8층 (우편번호 04779)
대표전화 02-3486-6877 팩스(주문) 02-585-1247
홈페이지 www.sigongsa.com/www.sigongjunior.com

ISBN 978-89-527-8631-9 74840
ISBN 978-89-527-5579-7 (세트)

*시공사는 시공간을 넘는 무한한 콘텐츠 세상을 만듭니다.
*시공사는 더 나은 내일을 함께 만들 여러분의 소중한 의견을 기다립니다.
*잘못 만들어진 책은 구입하신 곳에서 바꾸어 드립니다.

KC마크는 이 제품이 공통안전기준에 적합하였음을 의미합니다.
제조국 : 대한민국 사용 연령 : 8세 이상
책장에 손이 베이지 않게, 모서리에 다치지 않게 주의하세요.

찰리, 흰 눈을 지켜라!

힐러리 매케이 글 ◆ 샘 헌 그림

지혜연 옮김

시공주니어

차례

제1장
맥스 형의 첫 번째 잘못 ·········· 7

제2장
찰리 엄마의 잘못 ·········· 18

제3장
기니피그의 잘못은 아니다 ·········· 30

제4장
연장통을 가진 아저씨의 잘못 ·········· 40

제5장
큰 형들의 잘못 ·········· 46

제6장
찰리를 제외한 모든 사람들의 잘못 ·········· 54

제7장
맥스 형의 두 번째 잘못 ·········· 63

옮긴이의 말 ·········· 69

제1장
맥스 형의 첫 번째 잘못

찰리가 여덟 살 때, 눈이
엄청나게 많이 내린 날이 있었다.
눈사람을 만들 수 있을 정도로
눈이 많이 내린 것은 찰리가
태어나서 처음 있는 일이었다.
예전에도 한 번 눈이 펑펑 내렸던 날이 있긴 했다.
하지만 찰리는 감기에 심하게 걸려 밖에 나가 놀

수가 없었다. 아빠 엄마가 허락해 주지 않아서였다.
그때 찰리는 맥스 형한테 감기를 옮았던 건데,
1년이 지난 뒤에도 찰리는 형을 완전히 용서하지
않았다.

그런데 마침내 다시 눈이 내린 것이다. 찰리가
일어나서 보니, 맥스 형과 함께 쓰는 방이 투명하고
차가운 빛으로 가득 차 있었다. 유리창에 하얀
얼룩이 묻어 있었고 하늘은 꽉 닫힌 듯 잿빛을 띠고
있었다.

'눈이다!'

찰리는 속으로 외치면서 침대에서 후닥닥
일어났다. 그러다가 문득 괘씸한 생각이 들었다.

'아니, 그런데 왜 아무도 말해 주지 않았지?'

찰리의 아빠는 늘 가장 먼저 일어나기 때문에
벌써 출근을 했을 터였다. 엄마는 샤워를 하고 있는
것 같았다. 욕실에서 물소리가 들렸다. 찰리의 엄마

아빠는 찰리를 흔들어 깨워서라도 눈이 왔다는
소식을 알려 줄 마음이 전혀 없었던 것이다.

　찰리는 그다지 놀라지 않았다. 엄마 아빠는
어른이고, 어른들은 보통 눈치가 없기 때문이다.
그래도 맥스 형은 찰리를 깨웠어야 했다. 맥스 형은
어딜 갔는지 보이지 않았다. 그래서 찰리는

유리창으로 다가가 눈 덮인 정원을 내다보기도 전에
이미 마음에 상처를 입었다. 밖을 내다본 찰리의
실망은 더욱 커졌다. 찰리가 그렇게 기다려 왔던
깨끗하고 하얀 눈, 너무나 아름다운 눈에 이미
발자국이 나 있었기 때문이다.
　　우유를 배달하는 아저씨가 부엌문에 우유
두 팩을 갖다 놓으면서 정원에 발자국 두 줄을
남겼다. 발자국을 보기만 해도 찰리는 우유
배달원 아저씨에게 화가 났다. 아저씨는
걸어왔던 발자국대로 걸어 나갈 수도 있었을
텐데. 그럼 한 줄밖에 발자국이 남지 않았을 텐데.
하지만 아저씨는 두 줄을 남기고 갔다.
　　그게 다가 아니었다. 찰리의 아빠는 정원
한쪽 헛간에 세워 두는 오토바이를 타고
출근하곤 했는데, 정원을 가로질러

오토바이를 끌고 가는 바람에 그만 눈 위에 끔찍한
바퀴자국과 발자국을 남겼던 것이다. 아빠가 하얀
눈을 망치지 않으려고 조금만 신경 썼다면
오토바이를 끌고 가는 대신에 들고 갈 생각을 할 수
있었을 텐데, 그러지 않았다는 데 찰리는 마음이
상했다.

　찰리네 정원은 아주 자그마했다. 쌓인 눈의 반
이상이 이미 엉망이 되고 못 쓰게 되어 버렸다.

　찰리는 아래층으로 달려
내려가 거실로 갔다. 맥스
형은 거실에
있었다. 맥스는
숙제를 하면서
친구에게 줄
시디를 굽고 있었다.
동시에 텔레비전을

보면서 콘플레이크까지 먹고 있었다.

찰리가 물었다.

"형, 아직 못 봤어?"

몹시 들뜬 찰리가 레이스 커튼을 얼마나 세게 젖혔던지 커튼 한쪽이 뜯어지고 말았다.

찰리가 다그쳤다.

"자, 보라고!"

맥스가 말했다.

"찰리! 엄마가 또 화내시겠다! 화분도 조심해. 그러다 떨어지겠다. 거봐라, 내가 뭐라 그랬어! 너 진짜 왜 그래?"

"눈이 온다니까!"

맥스는 별일 아니라는 듯 대꾸했다.

"알고 있어. 아까부터 내린걸, 뭐. 눈 때문에 축구 시합이 취소됐잖아. 어서 텔레비전 앞에서 비켜, 찰리!"

찰리가 징징거렸다.

"형이 눈사람 만드는 걸 도와준다고 했잖아!"

"알았어, 학교 갔다 와서!"

"지금은 왜 안 되는데?"

"지금은 시간이 없어. 제대로 된 눈사람을 만들고 싶지 않다면 뭐……."

찰리는 정말 제대로 만들고 싶었다. 하지만 형의 도움 없이는 할 수 없다는 것을 알고 있었다. 맥스 형은 무엇이든지 잘했지만 찰리는 그렇지 못했다. 만약 맥스 형이 눈사람을 제대로 만들겠다고 하면 그 어느 눈사람보다 훌륭하게 만들 것이다. 찰리가 마음먹고 할 때와는 전혀 차원이 달랐다.

맥스는 숙제를 들여다보며 말했다.

"학교 끝난 다음에 만들자. 가서 오렌지 주스나 가져다줄래, 찰리?"

"형이 갖다 먹어."

찰리는 짜증을 내며 대답하고는 부엌으로 가서
문을 열고 눈 덮인 정원을 내다보았다. 찰리네
고양이 수지는 이미 밖에 나가 있었다. 수지는 새
모이 탁자 주위를 돌고 또 돌았다. 아무리 용을 써도
탁자에 발이 닿지 않을 거란 걸
깨닫지 못하고 있었다. 검은색
고양이 발자국이 동그라미를
그리며 눈 위에 나 있었다. 수십
개도 더 새겨져 있었다. 눈을 다
망쳤다. 찰리는 '정말
끔찍해!'라고 생각했다.
찰리는 2층으로
쏜살같이 올라가서
욕실 문을 두들기며
소리쳤다. 엄마가
나올 때까지 계속

외쳤다.

"도와줘요! 도와줘요!"

찰리 엄마가 놀라서 물었다.

"무슨 일이니, 찰리? 어디 다쳤어?"

"눈이 왔어요!"

"아, 엄마도 알아. 그게
다야? 난 또 끔찍한
일이 벌어진 줄
알았잖니."

엄마는 다시
욕실로 들어가서는
문을 닫았다. 찰리는
엄마를 다시 나오게 하기
위해 문을 더 세게 두들겨
대야만 했다.

찰리가 말했다.

저리 가!

"눈이 전부 못 쓰게 되어 있다니까요. 수지가 다 밟고 돌아다니고 있다고요!"

엄마가 투덜거렸다.

"세상에, 엄마는 마음 편하게 샤워도 할 수 없는 거야? 가서 옷이나 갈아입어!"

엄마는 다시 욕실로 들어가 버렸다. 찰리가 또다시 문을 두들겨 대자 엄마는 당장 저리 가라며 소리를 질렀다.

찰리는 형이 있는 곳으로 돌아갔다. 맥스 형은 자기가 녹음한 시디를 들으면서 잼 샌드위치를 먹고 있었다. 그러면서 텔레비전 화면을 거울 삼아 머리에 젤을 발라 세우고 있었다.

찰리가 투덜거렸다.

"눈이 전부 엉망이 되고 있어! 어떡하지? 학교 끝날 때까지 남아 있을 것 같지도 않아."

"그럼 냉동실에 넣어 두던지."

맥스는 대충
말하더니 잼이
섞인 젤을
가지고서
앞머리를 마치
고슴도치처럼
삐죽삐죽하게
만들었다.

나중에서야 맥스는 그때 자기는 그저 농담을 했을
뿐이었다고 말했다.

제 2 장
찰리 엄마의 잘못

찰리는 다시 부엌으로 돌아가 눈을 내다보았다. 찰리는 눈을 다 쓸어 모아 냉동실에 집어넣는 데 시간이 얼마나 걸릴까 궁금했다. 눈을 모두 다 고대로 보관할 수는 없을 것 같았다. 그러나 늘 그렇듯이 맥스 형 생각은 정말 좋았다. 손 놓고 바라보기만 하는 것보다는 백번 나을 듯싶었다.

처음에는 적당한 크기의 눈사람을 만들 만큼만

눈을 냉장고에 넣기로 했다.
하지만 하다 보니
재미가 들려서
멈출 수가
없었다. 찰리는 잠옷
바람에 슬리퍼를
신은 채, 장 볼 때 쓰는
자루에 눈을 가득 퍼 담아 질질 끌고 냉장고로 갔다.
그러고는 냉동실 가득 눈을 채웠다. 냉동실 문도
제대로 닫히지 않을 정도였다. 찰리는 문이 닫히지
않았다는 사실을 몰랐다. 시간이
한참 흐르고 그날
늦게까지 아무도
그 사실을
몰랐던 것이다.
　냉동실에

더 이상 눈이 들어갈 자리가 없자 찰리는 냉장실
가장 밑에 있는 채소 칸까지 눈으로 채웠다. 계란과
치즈나 요구르트를 넣어 두는 곳에는 눈으로 공을
만들어 잘 세워 놓았다. 엄마가 욕실에서 나오기
전에 찰리는 이런 식으로 정원에 남아 있던 눈
대부분을 차갑고 안전한 곳에 모셔 두는 데
성공했다.

찰리가 학교에 지각한 것은 모두 다 엄마
때문이었다. 계단에서 찰리와 마주친 엄마는 찰리의
모습을 보고 몹시 놀라 소리를 질렀다.
"너, 그 꼴로 밖에 나갔던 거야!"
"아주 잠깐요."
찰리는 엄마를 가라앉히기 위해 말을 이었다.
"안에도 있었어요. 안에 있다가 밖에
나갔다가……."

"눈밭에 나가 놀았잖아!"

"놀지는 않았어요."

"잠옷을 입은 채로 말이야!"

"학교 갈 때 입고 갈 옷을 적시란 말이에요?"

찰리는 천사 같은 목소리로 말을 이었다.

"그런데 엄마 머리 진짜 멋져요! 점퍼도
멋진데요? 제가 가서 토스트와 오렌지 주스를
가져다 드릴까요?"

"내가 여기 서서 이런 말도 안
되는 이야기를 들어야 하다니!"
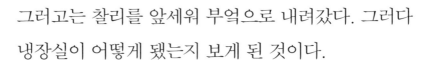
　찰리 엄마는 찰리를 잡아 질질 끌고
가서는 욕실에 집어넣었다. 찰리는
뜨거운 물로 진흙을 말끔히 씻어
내고 시퍼렇게 얼은 얼굴에
분홍빛이 돌 때까지 욕실에서
나오지 못했다. 목욕을 마친
다음에는 엄마가 찰리 몸에
옷을 엄청나게 껴입혔다.
그러고는 찰리를 앞세워 부엌으로 내려갔다. 그러다
냉장실이 어떻게 됐는지 보게 된 것이다.
　이미 눈으로 만든 공이 녹아 냉장실 안에 있던
음식들 위로 물이 뚝뚝 흐르고 있었다.
　"이런!"
　찰리의 엄마는 너무나 놀란 목소리로 말했다.

"세상에! 이 일에 대해 뭐라고 할 말이라도 있니, 찰리?"

"세상에!"

똑같이 놀란 찰리가 대답했다.

"냉장고 성능이 엉망이네요! 제가 만든 눈 공이 다 녹아 버렸잖아요! 냉장고 회사에 당장 고장 신고를 해야겠어요!"

찰리 엄마는 냉장고 회사를 탓하지 않았다. 대신 찰리를 탓했다.

찰리 엄마는 몹시 화를 내며 야단쳤다.

"눈, 눈, 해마다 내리는 이놈의 눈! 나 원 참! 정말 지겹다, 지겨워! 네 형은 너처럼 말썽을 부린 적이 없어!"

찰리가 우겼다.

"이건 모두 맥스 형의 잘못이에요. 형이 생각해 낸 거라고요! 맥스 형이 눈을 넣어 두라고 했단 말이에요……."

그러다 찰리는 입을 다물었다. 냉동실에 눈을
넣어 둔 것은 비밀로 하는 게 좋겠다고 생각했다.
형이 스쿨버스를 타고 학교에 간 다음에 엄마에게
들킨 건 아주 다행이었다.

찰리는 다른 이야기로 말을 돌렸다.

"오늘은 학교에 가지 않아도 괜찮을 것 같은데.
공부는 집에서도 얼마든지 할 수 있어요."

"하!"

찰리의 엄마는 콧방귀를 뀌더니 무서운 속도로
차를 몰아 찰리를 학교까지 데려다 주었다.
그러고는 찰리를 데리고 곧장 교실로 갔다. 찰리는
이미 결석으로 처리되어 있었다.

"오, 찰리 왔니!"

찰리네 선생님은 찰리와 찰리 엄마가 그다지
달갑지 않은 모양이었다. 찰리의 엄마는 선생님에게

인사를 하고 찰리가 지각하게 되어 죄송하다고
했다. 그러면서 너무 서둘러 오는 바람에 가방하고
도시락을 가져오지 않았다며 오늘은 학교에서
나오는 급식을 먹어야 할 것 같다고 말했다.

교실에서 나가던 엄마가 갑자기 덧붙였다.

"참! 숙제가 있었다면 아마 숙제도 집에 두고
왔을 거예요."

찰리는 자기 귀를 믿을 수 없었다. 엄마가 괜스레
선생님에게 숙제를 떠올려 주다니……!

찰리는 엄마에게 이렇게 묻고 싶었다.

"대체, 엄마는 누구 편이에요?"

그다음에 벌어진 일은 틀림없이 찰리 엄마의
잘못이었다.

로마 시대에 살던 아이들은 어떻게 생활했을까를

알아 오는 것이 지난번 숙제였다. 찰리는 아무것도
알아내지 못했다. 사실 알아볼 생각도 하지 않았다.

찰리 엄마가 간 다음, 담임선생님이 말했다.

"흠, 찰리. 숙제를 집에 두고 오긴 했다지만 로마
시대 아이들이 어떻게 살았는지 정도는 말로도
발표할 수 있을 것 같은데."

찰리도 그럴 수 있었으면 싶었다. 선생님은
월요일 아침이면 짜증을 더 많이 내기 때문이었다.
찰리는 재빨리 머리를 굴려 반 친구들에게 로마
시대에 사는 것은 참으로 따분했을 거라고 말했다.
비디오 게임기도 없고 축구나 텔레비전도 없었을
테니까.

선생님이 말했다.

"그 시대 놀이에 대해 말해 봐!"

찰리는 선생님의 말을 무시하고는 그 시대엔
영화관도, 컴퓨터도, 자동차 경기장도 없었다고

말했다.

선생님은 희망을 버리지 않고 물었다.

"자동차 경기장과 비슷한 곳도 없었을까?"

찰리가 계속해서 로마 시대엔 스케이트보드와
인라인스케이트, 산악자전거도 없었다고 덧붙이자
아이들이 낄낄거렸다. 그러자 찰리는 기분이
으쓱했다. 로마 시대 아이들의 삶이 얼마나
따분했을지에 대한 설명이 잘되고 있다고 느꼈다.
찰리는 교실을 둘러보며 로마 시대엔 그림물감도,

책을 읽도록 마련된 구석 자리도, 기니피그도
없었다고 덧붙였다.

　반 아이들은 점점 더 낄낄거렸다. 선생님이 화가
났던 것은 사실 아이들 때문이었다. 하지만
선생님은 찰리에게 화를 냈다. 선생님은 찰리가
숙제를 전혀 하지 않은 게 틀림없다고 생각했다.
바이킹 왕이 미지의 대륙을 정복하러 나갈 때
바이킹들은 어떤 물건들을 가져갔을까 하는 지난주
숙제도 하지 않았었고, 그 전주에는 늪과 고사리를
그려 넣어 공룡 나라의 지도를 완성하고 공룡의
이름을 적어 넣어야 하는 숙제도 하지 않았다. 사실
담임선생님은 찰리가 숙제를 해 온 적이
있었는지조차 기억나지 않았다.

　쉬는 시간이 되자 아이들은 눈밭에서 놀기 위해
밖으로 나갔다. 찰리가 학교에 온 다음, 눈이 더
많이 내렸다. 눈싸움은 물론 눈썰매를 타고

눈사람을 만들 정도로 충분한 눈이었다. 하지만
찰리는 친구들이랑 밖에 나가 놀 수가 없었다.
찰리는 또다시 기회를 잃었다.

　찰리는 따분하기 그지없는 로마 시대 사람들에
대한 책과 함께 교실에 남아 있어야 했다.

제3장
기니피그의 잘못은 아니다

찰리는 쉬는 시간에 일어난 일이 숙제를 할 수 없을 정도로 따분한 로마 시대의 잘못이며, 수업 시간에 낄낄 웃어 대 선생님을 화나게 만든 다른 아이들의 잘못이라고 했다. 그토록 따분한 로마 사람들과 자기를 함께 가둔 선생님도 잘못이라고 했다.

하지만 절대 기니피그의 잘못은 아니라고 했다.

쉬는 시간에 일어난 사건은 찰리와 선생님,
선생님의 커피가 담긴 머그잔과 로마 시대에 관한
책 무더기와 함께 모두 교실에서 비롯되었다.
밖에는 눈이 근사하게 내리고 있었다. 그리고
찰리의 단짝 헨리는 운동장에서 눈으로 공을 만들고
있었다.

　　헨리는 찰리에게 미안한 마음이 들었다. 헨리는
　　　　　　찰리를 웃게 만들어 주고 싶었다.
　　　　　　　그래서 찰리가 축 처진 어깨로
　　　　　　　　앉아 있는 교실을 향해
　　　　　　　　　우연인 양 일부러 눈을
　　　　　　　　　던지기 시작했다.
　　　　　　　　　유리창 하나가 열려
　　　　　　　　　있어서 헨리는 그
　　　　　　　　　틈으로 눈을 던져
　　　　　　　　　넣으려고 했던

것이다. 하지만 눈은 유리창에 맞았다.

"꽝!"

조금 있다가 다시 부딪혔다.

"꽝!"

또 한 번 부딪혔다.

선생님이 자리에서 일어나며 말했다.

"잠깐 밖에 나갔다 올게, 찰리. 잠깐이면 돼."

선생님은 서둘러 교실에서 나갔다. 그러고는
헨리에게 가서는 선생님이 이 상황을 어떻게
생각하는지에 대해 길게 길게 설명을 늘어놓았다.

선생님이 나가자 찰리는 로마 시대에 관한 책을
읽는 척하던 행동을 멈추고 교실을 이리저리
돌아다녔다. 찰리가 가장 좋아하는 곳은 애완동물이
있는 곳이었다. 커다란 나뭇가지 모양의 대벌레가
사는 유리 어항과 '스머지' 라는 이름의 기니피그
우리가 있는 곳이었다.

기니피그 우리 옆에는 스머지의
먹이 자루가 달려 있었다.

책가방, 도시락, 숙제 말고
그날 아침 또 하나 찰리가
깜박한 것은 아침 식사였던
것이다.

찰리는 배가 너무 고팠다. 그래서 기니피그의
밥을 한 움큼 쥐고 먹어 보았다. 먹어 보니 그다지
나쁘지 않았다. 오렌지색과 빨간색의 작은 과자들,
땅콩, 씹기도 딱딱한 콘플레이크, 쓰기만 하고 아무
맛도 없는 진한 초록색 알갱이가 섞여 있었다.

찰리는 한 움큼 집어 우적우적 씹어 먹었다.
그러고는 또 한 움큼을 집어 먹기 시작했다.
처음에는 조심스럽게 진한 초록색 알갱이를
집어냈다. 기니피그에게 집어낸 알갱이를 주었더니
기니피그도 그다지 좋아하는 것 같지 않았다.

찰리가 기니피그에게 말했다.

"그래, 좋아. 내가 왜 여기 있는지 말해 줄게!
몹시 지루한 로마 시대 사람들 때문이야. 내가 그
사람들에 대해 조사하는 숙제를 하지 않았거든.
엄마가 나를 그렇게 늦게 학교에 끌고 오지
않았거나, 책가방이랑 숙제랑 도시락을 챙겨 오지

않았다는 말을 하지 않았다면 아무도 눈치채지
못했을 텐데."

찰리는 잠깐 말을 멈추더니 기니피그의 밥을
한 움큼 쥐고는 기니피그에게 물었다.

"내가 먹어도 괜찮지?"

기니피그는 찰리가 무엇을 먹든지 전혀 상관하지
않는 것 같았다. 찰리가 구시렁대는 것에도 그다지
흥미가 없는 것 같았다.

그래도 찰리는 계속했다.

"내가 도시락도 가져오지 못하고 이런저런 이유로 늦은 것은 냉장실에 눈을 좀 넣어 놓은 걸 가지고 엄마가 난리를 치셔서야. 사람들이 다 밟아 엉망이 되기 전에 잘 넣어 두려고 한 것뿐인데. 고양이까지 눈을 밟아 댔어. 아니, 눈을 냉장고에 넣어 놓는 게 뭐가 문제라는 거야? 눈은 깨끗하고 냉장고는 차가운데, 도대체 뭐가 문제야!"

기니피그는 끔찍하게 따분한 표정을 한 채 별도리가 없다는 듯 뒷발로 귀를 긁어 댔다.

"누구라도 아침에 나를 깨워서 눈이 내렸다고 말만 해 줬더라도, 그래서 내가 눈사람을 만들 정도로 일찍 일어났다면 내가 무엇 때문에 눈을 냉장실에 넣었겠냐고. (하긴 그것도 맥스 형의 생각이었어. 냉동실이라고 말하기는 했지만.) 하지만 아무도 말해 주지 않은 거 있지. 아빠도

말이야. 엄마도 마찬가지고, 심지어 형조차 아무
말도 하지 않았다고! 형까지도 말이야!"

찰리는 기니피그 밥에서 콘플레이크를
골라내면서 되풀이해 말했다.

"기니피그 밥이 사람들에게 독이 되지 않았으면
좋겠는데."

기니피그는 그 문제에 대해 의논하고 싶지 않다는
듯 돌아서서 자리에 누웠다. 찰리는 잠시 기다려
봤지만 기니피그는 다시 나오지 않았다. 할 수 없이
찰리는 자기 자리로 가서 선생님이 교실로 돌아올
때까지 팔에 머리를 묻고 앉아 있었다.

선생님의 머리에는 눈이 묻어 있었는데 선생님은
그다지 기분이 좋지 않은 모양이었다. 선생님은
찰리를 본체만체하고는 헨리와 몇몇 아이들에게
단순한 장난과 버르장머리 없이 막무가내로 구는
행동의 차이에 대해 설명했다.

선생님이 갑자기 찰리에게 물었다.

"괜찮니, 찰리?"

좋은 소식을 기대하고 있는 것 같지는 않았다.

찰리가 대답했다.

"기니피그의 밥을 사람이 먹으면 죽나요? 제가 먹었거든요."

선생님은 놀라서 소리쳤다.

"찰리! 아니, 선생님이 겨우 5분 동안 교실을 비웠는데 그사이에 기니피그의 밥을 먹었다는 말이니?"

"네."

선생님이 다그쳐 물었다.

"얼마나 많이 먹었는데?"

"엄청나게 많이요."

선생님이 말했다.

"죽지는 않을 거야. 내가 없는 동안 로마 시대

사람들에 대해 알아낸 것은 있어?"

　"배가 아파요."

　"찰리!"

　"토할 것 같아요."

제 4 장
연장통을 가진 아저씨의 잘못

    찰리의 담임선생님이 도저히 참지 못하는 일이
하나 있다면, 그건 아이들이 교실에서 토하는
일이었다. 그래서 찰리는 비서실 옆에 딸린 작은
방에 있는 플라스틱 소파에 누워 있어야 했다.
    비서는 찰리에게 담요와 양동이를 주더니 말했다.
    "문을 열어 두마. 필요하면 불러. 하긴 토하면
어차피 알게 되겠지만."

찰리는 소파에 누웠다. 그러고는 공부하는
아이들로 가득 찬 따뜻한 교실에서 들려오는 윙
하는 소리에 귀를 기울였다. 그리고 유리창 밖으로
내리는 눈을 바라다보았다.

얼마 있다가 한 아저씨가 연장통을 든 채
들어와서는 찰리를 보고 인사를 건넸다.

"안녕, 꼬마 친구!"

찰리도 "안녕하세요?" 하고 아저씨한테 인사했다.

아저씨가 물었다.

"어디 아프니?"

"토할지도 모르니까 양동이를 옆에 두고 여기 누워 있으라고 해서요."

아저씨는 한 발짝 뒤로 물러서더니 문을 통해 옆방에 있는 비서를 돌아다보았다.

비서가 말했다.

"옮는 병이 아니에요! 기니피그 밥을 먹었대요."

아저씨가 찰리에게 말했다.

"아니, 설마!"

"설마가 맞아요."

아저씨는 연장통을 펼치더니 고장 난 화재경보기가 들어 있는 빨간색 상자를 열고는 작업을 시작했다. 아저씨는 찰리에게 어쩌다가 담요를 덮고 양동이를 곁에 두게 되었는지 말해 보라고 했다. 찰리가 이야기를 끝맺었을 무렵, 아저씨는 화재경보기를 다 고치고 연장을 다시 챙기기 시작했다.

이야기를 다 듣고 난 아저씨가
찰리에게 말했다.

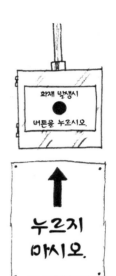

"이런 얘기는 처음이구나! 하지만 내
의견을 묻는다면, 넌 기니피그 밥을
먹지 말았어야 해! 기다렸어야지."

"언제까지요?"

아저씨는 일어서서 무릎을 문지르며
말했다.

"점심시간까지. 자, 이제 내 일은 끝났다. 여기,
고쳐 놓은 빨간색 단추 절대 누르면 안 돼. 만약
누르면 너희 반 친구들과 선생님, 비서 누나랑……
또 누구일지는 모르겠지만 다들 시퍼렇게 질릴
정도로 놀라서 눈밭으로 뛰쳐나가게 될 거야. 빨리
낫길 바랄게, 꼬마 친구!"

그러더니 아저씨는 가 버렸다.

뒤에 아저씨가 말한 것을 되풀이해 말해 보았을
때 찰리는 한마디 말을 잊었다. 바로 '안 돼!'였다.
나중에 찰리는 아저씨가 안 된다고 한 적이 없다고
말했다. 하지만 그 말만 빼고 나머지 이야기는 다
기억했다. 소파에 가만히 누워 있으니 찰리는 점점
따분해졌다. 그래서 연장통을 가지고 왔던 아저씨가
찰리 손으로 해 주기를 바랄 것 같다고 생각한 일,
곧 화재경보기가 제대로 작동하는지 한번 시험해
보는 일을 하기로 했다.

이런 생각을 하긴
했지만, 찰리는 비서가
어느 교실에 쪽지를
전해 주러 나갈
때까지는 아무 짓도
하지 않았다. 찰리는
비서가 자리를

비우자마자 일어나서 방을 가로질렀다. 자그마한 걸쇠가 달린 화재경보기 상자를 열어 빨간색 단추를 눌렀다. 그러고는 얼른 상자를 닫아 버렸다. 찰리는 소파로 돌아와 도로 누워 눈을 꼭 감고는 머리 위로 담요를 뒤집어썼다.

아저씨가 걱정했던 일이 벌어졌다. 찰리를 포함한 모두가 따뜻한 교실에서 나와 눈 내리고 있던 밖으로 서둘러 나가야 했다. 학생들은 선생님이 머릿수를 세는 동안 길게 줄을 서야 했다.

선생님들은 이렇게 말했다.

"학교에 불이 난 건 아니란다! 누군가 아주 어리석은 짓을 했을 뿐이야! 찰리, 너 한 번만 더 눈을 집어 들면 일주일 내내 쉬는 시간이 없을 줄 알아! 빨리 끝내면 끝낼수록 더 일찍 안으로 들어갈 수 있단다! 그리고 이상한 질문을 하나만 더 하면, 그땐 정말 화낼 줄 알아."

제5장
큰 형들의 잘못

얼마 지나지 않아 찰리는 화재경보기를 울렸다는
이유로 야단을 맞았다. 비서와 찰리의 담임선생님이
단박에 알아챘던 것이다. 두 사람 다 화를 냈다.

찰리는 화재경보기를 고치고 간 아저씨가
경보기를 시험해 주기를 원했다고 주장했지만
어른들은 믿어 주지 않았다. 점심시간을 알리는
종이 울려도 찰리는 여전히 야단을 맞고 있었다.

야단을 맞던 찰리가 물었다.

"점심은요?"

두 사람이 동시에 대답했다.

"속이 좋지 않다면서!"

찰리는 맑은 공기를 마시고 나서 많이 좋아졌다고
말했다. 이런 좋은 소식에도 두 사람은 그다지
기뻐하는 것 같지 않았다. 결국 찰리는 가장 늦게
식당으로 갈 수 있었다.

식당에 가장 늦게 도착하는 것은 정말 불행한 일이었다. 음식이 차려진 곳으로 갔을 때는 닭고기 요리, 구운 콩, 과자, 설탕을 뿌린 빵, 분홍색 푸딩, 밀크셰이크가 다 동이 난 다음이었다. 끔찍하게 몸에 좋은 구운 감자와 샐러드와 요구르트만 남아 있었다.

찰리의 친구들은 모두 일찍 점심을 먹고 이미 밖으로 나가고 없었다. 찰리는 쟁반을 들고 전혀 모르는 형들이 앉아 있는 자리에 앉았다.

보통 큰 형들은 찰리 같은 저학년 아이들에게 눈길도 주지 않는다. 하지만 오늘 있었던 화재경보기 사건 때문인지 형들이 모두 찰리에게 친절하게 대해 주었다. 형들은 분홍색 푸딩을 들고 설탕이 뿌려진 빵을 먹다 말고 말했다.

"잘했어, 찰리!"

형들은 환호를 보냈다. 찰리에게 샐러드와

요구르트밖에 먹을 게 없어 안됐다고 하면서 분홍색
푸딩을 찍어 먹겠냐고 권하기도 했다. 형들은 이미
점심을 끝낸 뒤였다. 친절하게도 형들은
아주머니들이 보고 있지 않을 때 칼을 식탁
모서리에 대고 튕겨 오이 조각을 공중으로 날려
보내는 방법을 알려 주었다. 형들은 "나중에 보자,
찰리!" 하고 인사하고는 나갔다. 다들 찰리만 혼자
두고 가 버렸다.

마침 오이를 다 먹은 뒤라 찰리는 구운 감자를 팅겨 날려 보았다. 감자는 바닥에 떨어지면서 끔찍하게 뭉개졌다. 어느새 찰리는 또다시 학교에서 가장 높은 사람의 사무실에 가 있게 되었다.

교장 선생님이 물었다.

"도대체 오늘 왜 이런 행동들을 했는지 한번 말해 볼래, 찰리?"

찰리는 설명하기 시작했다. 감자를 팅겨 날려 보낸 이유는 형들이 오이를 날려 보내는 방법을 가르쳐 줬는데 오이가 다 떨어져서 감자로 한 거고, 오이나 감자를 먹게 된 것은 식당에 가장 늦게 갔기 때문이라고 했다. 식당에 가장 늦게 간 것은 화재경보기를 왜 눌러야 했는지 설명해야 했기 때문이며, 화재경보기를 울렸던 것은 연장통을 들고 다니는 아저씨를 돕기 위해서였고, 연장통을 가진 아저씨를 만나게 된 것은 자기가 비서실 옆에서

양동이를 곁에 두고 플라스틱 소파에 누워 있었기
때문이고, 그렇게 누워 있었던 것은 토할 거
같아서였는데, 토할 것 같았던 것은 로마 시대
이야기가 하도 따분해 숙제를 하지 않아 기니피그
밥을 먹게 되었기 때문이라고 했다. 아침에 엄마가
정신없이 서두르다가 책가방과 도시락과 숙제를
집에 두고 왔다고 일부러 말을 하지 않았더라면
선생님은 눈치채지 못했을 거라는 말도 덧붙였다.
그리고 아침에 서둘렀던 이유는 예정에도 없던
뜨거운 목욕을 했기 때문이고, 목욕을 해야만 했던
이유는 냉장고에 있던 눈을 치워야 했기 때문인데,
눈을 냉장고에 넣게 된 것은 학교 끝나고 눈사람을
만들 거라며 형이 눈을 냉동실에 넣어 놓으라고
했기 때문이라고 했다. 눈사람을 학교 끝나고 만들
수밖에 없는 이유는 아침에 아빠 엄마는 물론
형까지 찰리를 깨워 주지 않아서 눈사람을 만들

시간이 없었기 때문이라는 설명도 했다.

교장 선생님은 찰리에게 그런 말도 안 되는
핑계는 한 번도 들어 본 적이 없다고 말했다.

그날 학교에선 찰리도 더 이상 문제를 일으키지
않았다. 그럴 수가 없었다. 오후 내내 교장 선생님
방에서 선생님의 감시 아래 있어야 했고, 그래서
아무 짓도 할 수 없었던 것이다. 얼마나 따분한지
찰리는 병에 걸린 듯 기운이 없었다.

오후 쉬는 시간에 교장 선생님은 찰리를 잠시
혼자 두었다. 찰리는 그 기회를 놓치지 않고 벌떡
일어나 말썽거리를 찾아 선생님 책상을 미친 듯이
뒤졌다. 유일하게 찾아낸 것은 구멍 뚫는 펀치였다.
찰리가 펀치 아래쪽에 달려 있던 뚜껑을 여는
바람에 여러 색깔을 한 작은 동그라미 조각들이
양탄자에 수백만 개도 넘게 쏟아졌다. 그때 마침

선생님이 들어왔다.

교장 선생님은 찰리에게 동그라미 조각들을
일일이 다 주우라고 했다. 찰리가 조각을 집는 동안
선생님은 찰리 엄마에게 전화를 걸어 그날 찰리가
저지른 잘못을 낱낱이 일렀다. 단 한 개도 빠뜨리지
않고……. 잘못을 일일이 고할 때마다 수화기
너머에서 찰리 엄마의 날카로운 비명이 들렸다.

찰리는 교장 선생님이 엄마에게
이렇게 말하는 것을 들었다.

"어머님이 직접 오셔서
찰리를 집으로 데려가는
게 모든 사람들을 위해
최선인 것 같습니다."

제 6 장
찰리를 제외한 모든 사람들의 잘못

찰리는 귀가 조치를 당했다. 맥스 형은 한 번도 귀가 조치를 당한 적이 없다. 찰리 엄마도 학교 다닐 때 귀가 조치를 당한 적이 없었다. 그건 찰리의 아빠도 마찬가지였다. 찰리의 집안에서는 그 어떤 사람도 당한 적이 없는 일이었다. 찰리의 엄마는 틀림없이 그랬을 거라고 굳게 믿고 있었다.

하지만 찰리는 학교에서 귀가 조치를 당했다.

교장 선생님은 찰리 엄마에게 찰리가 아픈 것
같다며 집에 가서 쉬면 좀 나을 것 같아 보내는
거라고 말했다. 찰리 엄마는 그런 친절한 말에 속지
않았다. 교장 선생님이 전화를 하기 직전, 일터에서
집으로 돌아온 엄마는 냉동실 문이 오전 내내 열려
있었다는 사실을 알게 된 것이다. 눈이 들어 있던
불룩한 자루에서 물이 뚝뚝 흘렀다. 일부는
고드름이 되어 매달려 있었고 나머지는 부엌 바닥의
반을 차지하는 작은 호수가 되어 있었다.

찰리의 엄마는 찰리를 교장실에서 끌고 나오면서
말했다.

"아프긴 뭐가 아파! 그저 말썽쟁이로만
보이는데!"

복도를 걸어오는 내내 엄마는 집안의 누구도,
특히 맥스 형은 단 한 번도 귀가 조치를 당한 적이
없다는 말만 했다. 엄마는 코트를 걸치면서

찰리에게 냉동실에 있는 고드름과 부엌 바닥이
어떻게 되었는지 말했다.

찰리는 진짜로 걱정이 되어 물었다.

"제 눈은 다 괜찮겠죠, 그렇죠?"

"아니!"

엄마는 몹시 화가 나서 버럭 소리를 질렀다.
찰리와 엄마는 복도를 나와 정문으로 갔다. 찰리는
정문에 이르자마자 냉동실에 있던 눈에 대해서는
순식간에 잊어버렸다. 찰리는 자신의 행운을 믿을
수가 없었다. 점심시간 이후로 엄청난 양의 흰 눈이
내렸던 것이다. 찰리는 정원이 다시 하얀 눈으로
수북이 덮였을 거라고 생각했다. 그리고 이미
학교도 일찍 끝내고 난 뒤였다. 그 말은 곧,
평소보다 오래도록 놀 수 있다는 말이었다.

찰리가 말했다.

"아주 멋진 눈사람을 만들 거예요."

엄마는 아주 침착하고, 조용하고, 그리고
무시무시한 목소리로 말했다.

"찰리, 학교에 남아 있지 못할 정도로 아프면 밖에
나가 놀 수는 없을 것 같구나."

"전 괜찮아요! 엄마도 내가 아픈 것 같지 않다고
했잖아요! 아프지 않다니까요! 아프다고 집으로
보내는 게 아니라고요! 말썽을 피워서 집으로
보내는 거예요!"

찰리의 엄마는 아까보다 더 침착하고, 더
조용하고, 더 무시무시하게 말했다.

"흠, 학교에서 그렇게 말썽을 피웠다면 분명
눈밭에 나가서 놀 수 없을 정도로 잘못을 했다는
거겠지! 네 방으로 올라가!"

"뭐라고요?"

"방으로 가라고!"

찰리는 우겨 보았지만 소용없었다. 말썽을 피우게
된 것이 자기 잘못이 아니라고 설명하고 싶었다.
형들과 연장통을 가지고 있던 아저씨, 그리고
찰리를 곤란에 빠뜨렸던 모든 사람들에 대해
구구절절 늘어놓았지만 엄마는 들으려고 하지
않았다. 찰리가 소리소리 지르고 울고불고 난리를
치고 발버둥을 쳤지만 어느 것 하나 먹혀들지
않았다. 찰리는 2층에 있는 자기 방에서 풀이 죽은

표정으로 창밖을 내다보며 있었다. 그때 맥스가
학교에서 돌아왔다.

맥스가 말했다.

"너, 2층에서 뭐 하는 거야? 밖에서 신 나게 눈
가지고 놀고 있을 줄 알았는데!"

찰리는 형이 그렇게 말할 때까지 자기가 형에게
얼마나 화나 있는지 몰랐다. 학교에서 한 번도 귀가
조치를 당한 적이 없는 착한 형! 늘 뭐든지 잘하는
똑똑한 형! 눈사람을 만들 정도로 눈이 많이 내린
날, 찰리에게 감기를 옮겼던 아주 못된 형! 밖에
눈이 내리는데도 찰리를 그냥 자게 내버려 두었던
심술궂은 형! 세상에서 가장 나쁜 형이었다!

찰리가 맥스에게 소리를 질렀다.

"형은 세상에서 가장 못된 형이야! 내가 여기
이렇게 갇혀 있는 것도 다 형 때문이라고!"

"왜?"

찰리는 뜨거운 눈물을 뚝뚝 흘리면서 형을 밀쳐
내고 코를 훌쩍이며 딸꾹질까지 했다.

찰리는 소리쳤다.

"왜냐하면, 눈사람을 만들 수 있게 나를 깨우지
않았잖아. 그리고 냉동실에 눈을 넣어 두면 나중에
눈사람 만드는 것을 도와준다고 했잖아. 형이
시키는 대로 했더니 엄마가 화를 냈고 그래서
학교에 늦었단 말이야. 엄마가 쓸데없이 선생님한테
숙제를 깜빡 두고 왔다고 하는 바람에 쉬는 시간도
못 나갔단 말이야.
아침도 못 먹고
가는 바람에 배가
고파 기니피그의
밥을 먹을
수밖에 없었다고.
그래서인지 배가

훌쩍훌쩍

아파서 비서실에 누워 있었는데, 어떤 아저씨가
화재경보기를 시험해 보는 방법을 가르쳐 주더라고.
그래서 그대로 했지. 그것 때문에 아이들은 모두
밖으로 나가야 했고, 어떻게 알았는지 선생님이
내가 화재경보기를 눌렀다는 것을 알아냈어. 난
한참 동안 야단을 맞다가 식당에 늦게 갔어. 그래서
모르는 형들하고 샐러드와 구운 감자만 먹어야
했지. 근데 형들이 오이를 공중으로 날리는 방법을
가르쳐 주는 거야. 오이가 없어서 구운 감자를
날렸어. 하지만 감자가 바닥에 뭉개지는 바람에
교장 선생님 방에 불려 갔어. 교장 선생님이
엄마에게 전화를 걸더니 날 집으로 데려가라고
하잖아! 그래서 집에 왔더니 냉동실에 있던 눈이
녹아서 부엌 바닥이 물바다가 되어 있더라고!
그러니까 이게 다 누구 잘못이냐고! 형
때문이잖아!"

"그래, 네 말이 맞아."

찰리는 형 말에 멍해져서 아무 소리도 못하고 서 있었다. 갑자기 스스로가 눈사람처럼 얼어붙은 느낌이었다. 찰리는 자기 귀를 믿을 수가 없었다.

맥스가 말했다.

"미안해!"

그 바람에 찰리는 다시 울음을 터뜨렸다. 찰리는 훌쩍거리면서 말했다.

"형이 눈사람을 제대로 만들게 도와준다고 했잖아."

"그렇게 할게."

제7장
맥스 형의 두 번째 잘못

맥스는 하겠다고 마음먹으면 언제나 꼭 했다.
맥스가 드디어, 엄청난 잘못을 저질러 자기 방에
갇혀 있는 찰리를 도와 눈사람을 만들겠다고 했다.
맥스는 엄마를 졸라 찰리를 밖으로 내보내 달라고
부탁해 볼 수도 있었다. 맥스가 말하면 엄마가
허락할 수도 있었다. 하지만 반대로, 허락을 받지
못할 위험도 있었다. 맥스는 허락을 받고 못 받고에

따라 결정되는 계획을 세우고 싶지는 않았다.

맥스는 찰리를 아래쪽 정원으로 몰래 데리고 나가 엄마가 보지 못하는 곳에서 눈사람을 만들 수도 있었다. 하지만 그건 너무나 떳떳하지 못한 행동이었다. 맥스는 그 어떤 일도 떳떳하지 않으면 하지 않았다. 맥스는 어떤 일이든 제대로 했다.

맥스는 아래층으로 내려가서 엄마를 살폈다. 엄마는 거실에서 커튼을 고치고 있었다.

엄마가 맥스에게 말했다.

"바닥이 마를 때까지 부엌에 들어가지 마라, 맥스!"

"알겠어요."

맥스는 다시 2층으로 올라가 찰리 방에 달려 있는 커다란 유리 창문을 활짝 열었다. 그러고는 엄마가 청소할 때 쓰는 양동이를 가져왔다. 그런 다음 가족들의 잠옷 가운에 달린 허리띠를 연결해 긴

줄을 만들어서는 가져온
양동이에 묶었다.

드디어 맥스가 말했다.

"자, 이제 됐어, 찰리."

맥스는 유리창 밖으로
양동이를 내보내고는
아래로 내렸다.

"이제 너는 조금 있다가
당기기만 하면 돼!"

맥스는 이렇게 말하고는
금세 사라졌다.

정원으로 내려간 맥스는
양동이에 눈을 채웠고,
양동이에 눈이 다 차면 찰리가
양동이를 잡아당겼다. 찰리는
침실 양탄자 위에 눈을

쏟았다. 이렇게 눈 쏟기를 반복하고 또 반복했다.

찰리 방에 엄청난 양의 눈이 쌓이자 맥스는
2층으로 올라와 눈사람을 만들기 시작했다.
그야말로 멋지고 완벽한 눈사람이었다. 모자도
씌우고 목도리도 두르고, 부엌에서 쓰는 빗자루도
세웠다.

눈사람이 완성되었을
때, 얼마나 근사한지
찰리는 사람들에게 보여
주지 않을 수 없었다.
그래서 엄마를 데려왔다.
엄마가 말했다.
"아니, 세상에! 이럴
수가! 도대체 무슨
짓을 한 거야!
바닥 좀 봐! 눈

천지잖아! 양탄자 좀 봐, 다 젖었어! 대체 오늘 왜
이러니? 이런, 맥스! 누가 잘못했는지 이제 알겠다.
찰리는 절대 이런 일을 벌일 수가 없어! 절대로!"

엄마가 소리를 지르는 동안, 맥스는 사진기를
가져왔다. 그러고는 양탄자 위에 서서 눈사람에게
팔을 두르고 있는 찰리를 찍어 주었다.

찰리의 미소는 눈사람의 미소보다 더 환했다.

맥스와 찰리의 엄마가 소리쳤다.

"정말 끔찍한 날이야!"

찰리는 생각이 달랐다.

'너무나 멋진 날이야! 기니피그의 밥을 먹어도
배탈이 나지 않았고, 화재경보기를 울려서 다들
눈밭으로 나가게 해 주었어! 학교에서도 일찍 집에
왔고, 형이 이 세상에서 가장 근사한 눈사람을
만들어 주었다고!'

찰리는 형이 화를 내고 있는 엄마에게 사진기를

들이대는 모습을 바라보았다. 생각해 보니 맥스 형이 그렇게 나쁜 형은 아니었다.

찰리가 생각했다.

'정말 멋진 날이었어!'

옮긴이의 말

이상하게 나에게만 늘 안 좋은 일이 생기고, 운도 지지리 없고, 억울하기 짝이 없는 듯 느껴지는 때가 있습니다. 눈사람 만들기가 소원인 찰리는 기다리던 눈이 올 때마다 일이 생깁니다. 지난번에도 감기에 옮아 나가 놀지 못했던 찰리, 이번에는 어떻게 해서든지 눈사람을 만들 작정입니다.

눈이 내리는데도 아침 일찍 자기를 깨우지 않았다고 투덜거리던 찰리는 흰 눈에 발자국이 난 것을 보고 속이 상합니다. 할 수 없이 학교는 가야 하고, 찰리는 급한 대로 흰 눈을 자루에 담아 냉동실과 심지어는 냉장실에까지 채워 둡니다.

학교에 가서도 운이 없기는 마찬가지입니다. 친구들이 모두 나가 노는 쉬는 시간에도 찰리는 숙제를 해 오지 않은 벌로 교실에 남아 있게 됩니다. 숙제를 안 해 온 것은 이번뿐이 아니고, 선생님은 언제 찰리가 숙제를 해 왔는지 기억도 안 날 정도입니다. 그래도 말썽왕 찰리는 억울하기만 합니다. 하필 이런 날 벌을 서야 한다니요.

교실에 남아 있던 찰리는 배가 고파 기니피그의 먹이에 손을 댑니다. 먹이를 먹고 속이 안 좋은 것 같아 비서실에서 쉬고 있는 동안에도 비서가 자리를 비운 5분 사이에 화재경보기를 장난삼아 눌러 학교를 발칵 뒤집어 놓습니다. 교장 선생님은 결국 찰리 엄마를 불러 찰리를 데려가라고 합니다. 집안에 누구도 받아 보지 못한 '귀가 조치'를 당한 거지요. 하지만 찰리는 전혀 신경 쓰지 않아요. 눈을 가지고 놀 시간이 많아졌으니까요!

집에서도 찰리는 말썽을 멈추지 않아요. 냉장고에 넣어 놓았던 눈이 녹아 온 부엌을 엉망으로 만들어 놓았지요. 화가 난 엄마는 찰리를 방에 가두고 나가서 놀지 못하게 합니다. 일이 이렇게 꼬이니 학교 끝나고 눈사람을 만들기로 한 계획은 또다시 무산될 것처럼 보입니다. 하지만 여기서 포기하면 찰리가 아니지요. 찰리는 맥스 형과 함께 양동이로 눈을 퍼

날라 방에서 눈사람을 만드는 데 성공합니다.

찰리는 이런 말썽을 피운 다음에도 혼나는 게 억울합니다. 이 모든 일은 자기 때문이 아니라는 거지요. 형 때문이고, 엄마 때문이고, 어떤 아저씨 때문이고, 친구 때문이고…….

찰리는 늘 자기만 억울하다고 생각하지만, 여러분들은 숨은 진실을 알 수 있을 겁니다. 찰리처럼 나만 불리하고 억울하고 운도 없다고 생각하기보다는 한 번쯤 스스로를 돌아보는 건 어떨까요?

지혜연